La nature
la montagne
la mer
les animaux du monde
les animaux de la ferme
la forêt
le jardin
les saisons
ELIMINÉ
l'évolution de l'homme
les continents
les métiers
les transports
La vie dans le monde
les formes géométriques
les couleurs
les chiffres
les dimensions
la musique
les livres
Les arts et les sciences
la sécurité en ville
la sécurité dans la maison
le temps
le corps humain
l'alimentation
la journée
La vie quotidienne
la politesse
les âges de la vie
la famille
l'amitié
La vie

Auteurs :
Sylvie Albou-Tabart, Élisabeth Le Bris,
Jérôme Erbin, Dominique Foufelle

Illustrateurs :
Fabienne Gallois
Dylan Grosdemange/Pelot
Studios Harchy
Sophie Surber

Directrice de l'édition : Fabienne Kriegel
Éditrice assistante : Sophie Landais
Assistante éditoriale : Catherine Lartisant

Loi n°49 956 du 16 juillet 1949 sur les publications destinées à la jeunesse
ISBN collection : 2-84634-362-4
ISBN ouvrage : 2-84634-365-9
Dépôt légal troisième trimestre 2005
Imprimé et relié chez Pollina - n°L98168

www.hachette-collections.com

Je découvre la politesse

Lucie, Rodrigue, les jumeaux Clara et Jules,
et leur petite sœur Margot viennent
de s'installer dans un nouveau village.
Ils vont y faire bien des découvertes et toi aussi!

Réunis autour de Mamie, Lucie, les jumeaux et Margot l'aident à préparer le dîner.

– Moi, je crois qu'on devrait lui donner une bonne leçon, dit Lucie en parlant de Rodrigue.

Ronchon, grognon et malpoli,

Rodrigue les a embêtés toute la journée.

– D'accord, dit Mamie, j'ai une idée, écoutez…

Rodrigue arrive à cet instant.

Il revient de la piscine.

– Bonjour, dit-il.

– Hum, fait Lucie.

– Gruumm, disent les jumeaux.

Mamie, elle, ne répond même pas.

Étonné, Rodrigue leur lance un regard surpris.

Pourtant, il faut toujours dire « bonjour »,

c'est maman qui lui a appris.

– On dîne, dit Mamie.

Les enfants se précipitent et Lucie pousse Rodrigue, sans un mot.

– Tu pourrais dire pardon, dit Rodrigue.
C'est vrai, il faut toujours dire « pardon »
quand on bouscule quelqu'un.

Lucie, la bouche pleine, lance à Rodrigue :

– Du pain!

Quel toupet, se dit Rodrigue, même pas « s'il te plaît ».

Il faut toujours dire « s'il te plaît »
quand on demande quelque chose à quelqu'un.
Et en plus, on ne doit pas parler la bouche pleine!

– Encore des légumes? grommelle Mamie.

– Non, dit Lucie.

– Non, non, non, font les jumeaux en écho.

Rodrigue les reprend :

– Il faut toujours dire « Non merci », c'est plus poli.

De plus en plus étonné,
Rodrigue se lève pour débarrasser.
– Tiens, Mamie, dit Rodrigue
en lui tendant les assiettes.

Pas de sourire, pas de « Merci mon chéri »,

mais qu'est-ce qui se passe? se demande Rodrigue.

C'est vrai quoi, quand on te donne quelque chose,

il faut dire « Merci » et faire un beau sourire!

La vaisselle enfin terminée,

tout le monde se retrouve dans le salon.

Quel désastre!

Margot, Jules, Clara et Lucie sont en train de se disputer. Lucie est allée chercher des bonbons et ne veut pas leur en donner.

– Il faut toujours partager, dit Rodrigue. En plus, vous le savez!

– Mais qu'est-ce qui vous arrive, à la fin? demande Rodrigue à Mamie.

– On te faisait une blague, Rodrigue, dit Mamie.

– On te montrait juste comment est la vie quand on n'est pas poli! ajoutent en chœur Lucie, les jumeaux et Margot.

– D'accord, j'ai compris, dit Rodrigue en souriant.

Enfin rassuré, Rodrigue monte se coucher.

– Au revoir Mamie, bonne nuit.

– Bonne nuit mon chéri, dit Mamie.

Eh oui, tu le sais, il faut toujours dire « au revoir »,

c'est bien plus poli!

Réponds à ces petites questions et tu sauras vite si tu es aussi poli que Rodrigue!

Qu'est-ce qu'on doit dire quand on rencontre quelqu'un?

Qu'est-ce qu'on doit dire quand on demande quelque chose?

Qu'est-ce qu'on doit répondre quand on nous donne quelque chose?

Qu'est-ce qu'on doit dire
quand on bouscule quelqu'un?

Pardon

Qu'est-ce qu'il faut dire
quand on quitte quelqu'un?

Au revoir

N'oublie pas,
la vie est bien
plus jolie quand
on est poli !

Au revoir, à bientôt.